まちごとチャイナ
福建省 005

武夷山
幻の「烏龍茶」育む閩奥へ
［モノクロノートブック版］

JN121901

山々の連なる福建省北部、赤い山肌を見せて屹立する峰、流れを9度変えながらくだっていく紺碧の水（「碧水丹山」）が見られる武夷山。36の峰、72の洞、99の岩が織りなし、道教、仏教の渾然一体となった神仙世界は「奇にして秀、東南に甲たり」とたたえられてきた。

　この武夷山はあたりを山で閉ざされ、人がほとんど寄りつかなかった山奥部に位置する。たび重なる中原の戦乱から逃れた人びとにとって、「入閩（福建省への南遷）」の入

口となって、宋代以降、多くの文人に愛され、なかでも朱子学の朱熹ゆかりの地として知られるようになった。

　また古くから武夷山の仙人が栽培していたというお茶の産地としても名高く、武夷岩茶「大紅袍」は中国茶の最高峰となっている。長らく崇安という地名で知られたこの地は1988年に武夷山市に昇格し、1999年、武夷山は、今から3000年以上昔の「古越人の船棺」、前漢の宮殿址である「城村漢城」などをあわせて複合遺産に指定された。

まちごとチャイナ｜福建省 005

武夷山

幻の「烏龍茶」育む閩奥へ

Asia City Guide Production
Fujian 005
Wuyishan

武夷山／wǔ yí shān／ウウイイシャン

「アジア城市〈まち〉案内」制作委員会
まちごとパブリッシング

Contents

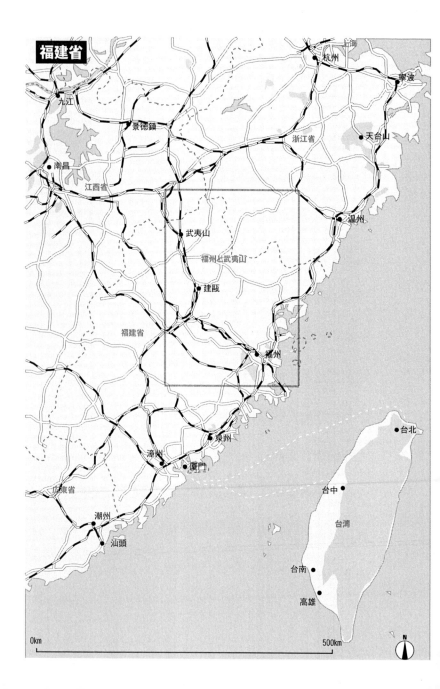

福建省

九江
景徳鎮
南昌
江西省
浙江省
杭州
寧波
天台山
温州
武夷山
福州と武夷山
建甌
福建省
福州
泉州
漳州
廈門
広東省
潮州
汕頭
台北
台中
台湾
台南
高雄

0km
500km

N

福州と武夷山

N

江西省

浙江省

武夷山
北駅

武夷山

武夷山

武夷山
東駅

建陽

閩北

建甌

南平

福州

三明

福州

福建省

泉州

漳州

廈門

台湾

金門島

0km   200km

★★★
武夷山／武夷山 ウウイイシャン
★☆☆
建甌／建瓯 ジィエンオウ
建陽／建阳 ジィエンヤァン

Introduction

福建北部碧水丹山の世界

標高2158mの黄崗山を中心に
いくつもの峰が連なる武夷山
神仙世界を思わせる福建省の景勝地

陸の孤島へ

　福建省と江西省の境を海抜1000m前後で全長550kmにわたって走り、閩江(福建省)と贛江(江西省)の分水嶺にもなっている武夷山脈。この山脈の北端南側に武夷山風景区が位置する。省都福州から武夷山近くの建甌までは、直線距離で145kmだが、途中、鷲峰山脈はじめ山のなかを走らなければならないため、実際の行程は252kmにも達した(福建の名は「福」州と、建甌=「建」州の頭文字からとられている)。陸の孤島とも言えるこの地への交通の便は悪く、20世紀末になってようやく福州と武夷山を結ぶ鉄道が開通したが、それゆえ手つかずの自然や美しい環境が残っていた。現在は省都福州から高鉄が通じているものの、今から1億年前の地殻変動によって隆起し、風雨による浸蝕で形成された変化に富む地形(白亜紀武夷層)、「昆虫の世界」「鳥の天国」「生物標本の産地」と呼ばれる亜熱帯の美しい自然にふれられる。

神仙が棲み、文人が暮らす

　武夷山という名前は、秦の始皇帝時代に白馬に乗ってこの地に君臨したという神仙の「武夷君」にちなむ。また長生の術を心得た800歳の神仙彭祖には、「武」と「夷」のふたり

の子どもがいて、この兄弟が武夷山を開いたという伝説も残る。南北朝(5～6世紀)時代から美しい自然の武夷山に隠者や求道者が庵を結び、政治、経済、文化の中心が北中国から南中国へ遷るなか、宋代には多くの文人が武夷山の景観を詩に詠むようになった。なかでも朱子学を完成させた朱熹は『論語集注』『孟子集注』をここ武夷山で記し、南宋第一の詩人の陸游も武夷山に親しんでいる。こうしたところから、武夷山は「儒教」の理学の名山とされたほか、「道教」の神仙世界が具現化された世界にして、また「仏教」寺院も残るなど、さまざまな宗教の混淆とした世界が広がっている。

最高峰の中国茶

范仲淹(989～1052年)は、古くから武夷山の仙人が茶を栽培していたと記している。中国では唐代にお茶を飲む習慣が広がり、亜熱帯で雨量が豊富、栽培に適した武夷山は宋代からお茶の産地として知られるようなった。977年、皇帝への貢茶の産地が、湖州から福建北苑(建甌)へ遷り、元代の1302年、武夷山九曲渓第五曲に皇帝直轄の御茶園がつくられた。武夷山の茶農家たちは新茶の品質を競うために闘茶をし、また明(1368～1644年)代には茶葉を半発酵させる「烏龍茶」がここ福建崇安(武夷山)で発明された。袁枚(1716～97年)は「(天下の名茶のなかで武夷山の茶が)もっとも優れている」とし、武夷山の岩に育つ武夷岩茶「大紅袍」は、あらゆるお茶のなかで最高級品にあげられる。武夷山では、「大紅袍」はじめ「鉄羅漢」「白鶏冠」「水金亀」を武夷四大名茶とする。

武夷山の構成

長らくこのあたりの中心となってきた市街部の「武夷山市(かつての崇安)」は、武夷山風景区から北に15km離れている。この地には、五代の南唐時代に崇安場が、宋代の994年に崇

奇岩が連続する武夷山、大王峰が見える

悠久のときをへて形成された一線天

朱子学を大成した朱熹は武夷精舎に居をかまえた

長らく秘境とされた武夷山へも高鉄が伸びるようになった

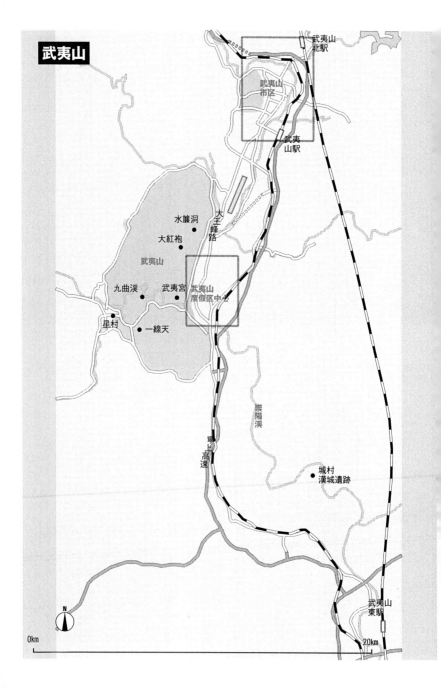

武夷山

武夷山北駅

武夷山
市区

武夷山駅

大王峰路

水簾洞

大紅袍

武夷山

九曲渓　武夷宮　武夷山
　　　　　　　度假区中心

星村

一線天

崇陽渓

蜀上高速

城村
漢城遺跡

武夷山
東駅

N

0km　　　　　　　　　　　　　　　　　　　　　　　20km

安県がおかれた。これに対して、武夷山九曲渓の入口にあた
る「星村」は寒村だったが茶葉の集散地と知られるようにな
り、また「崇安」と武夷山の中間に位置する「赤石街」は茶葉
の買いつけ場所となっていた。また現在では、武夷山風景区
の東側に観光事業を促進する目的で、「武夷山度假区中心」
が整備されている。武夷山風景区は広大な敷地に広がり、一
般的に開かれているのは九曲渓の流れる「自然と文化景観
保護区」で、その西側に「九曲渓生態保護区」と「生物多様性
保護区」が位置する。また武夷山南東に「古漢城遺跡保護区」
があり、これら4つの保護区が世界遺産を構成する。福建省
の「武夷山」は、安徽省の「黄山」、四川省の「峨眉山と楽山大
仏」、山東省の「泰山」とならんで、自然遺産と文化遺産の双
方を兼ね備えた複合遺産となっている。

★★★
九曲渓／九曲溪 ジィウチュウシイ
一線天／一线天 イイシィエンティエン
武夷宮／武夷宫 ウウイイゴォン
大紅袍／大红袍 ダアホォンパオ
水簾洞／水帘洞 シュイリィエンドォン

★★☆
武夷山度区中心／武夷山度假区中心 ウウイイシャンドゥジィアチュウチョンシィン

★☆☆
武夷山市区／武夷山市区 ウウイイシャンシイチュウ
崇陽渓／崇阳溪 チョンヤァンシイ
星村／星村 シィンチュン
城村漢城遺跡／城村汉城遗址 チュウアンチュンハァンチャンイイチイ

武夷山度假区中心にはレストランがならぶ

観光業を促進するために整備された

武夷市街城市案内

**世界遺産武夷山への足がかりとなるのが
武夷山度假区中心と武夷山市区
多くの旅行者が訪れる**

武夷山度假区中心／武夷山度假区中心★★☆
wǔ yí shān dù jià qū zhōng xīn
ぶいさんどかくちゅうしん／ウウイイシャンドゥジアチュウチョンシィン

　武夷山風景区の東側に隣接し、武夷山観光への起点となる武夷山度假区中心。ホテルやレストラン、また武夷山をテーマにした現代劇『印象大紅袍』の劇場などが集まる。街は中央を南北につらぬく大王峰路の両側に広がる。

崇陽渓／崇阳溪★☆☆
chóng yáng xī
すうようけい／チョンヤァンシイ

　武夷山近郊を流れる崇陽渓は、やがて閩江に合流し、その流れは福州にいたる。武夷山市区(かつての崇安)、建甌、建陽を結ぶ閩北の主要水道となっていて、九曲渓(崇溪)は武夷宮近くで、崇陽渓に合流する。

武夷山市区／武夷山市区★☆☆
wǔ yí shān shì qū
ぶいさんしく／ウウイイシャンシイチュウ

　長らく武夷山一帯の中心で、かつては城郭をもつ城市だった武夷山市区。閩江から福州へ続くこの地には、五代南唐時代に崇安場がおかれ、宋代の994年に崇安県となった。

武夷山
市区

武夷山
北駅

寧上高速

武夷山
市区

五九路

環島西路

武夷大道

站前大道

武夷山駅

武夷山へ

0km

3km

N

武夷茶は星村からいかだを使って、赤石街、そして武夷山市区(崇安)へと運ばれた。長らく崇安の名で知られていたが、観光業を進めるため、1988年に崇安県は武夷山市へと昇格し、その後の1999年に武夷山は世界遺産に登録された。

赤石暴動烈士墓／赤石暴动烈士墓★☆☆
chì shí bào dòng liè shì mù
せきせきぼうどうれっぼ／チイシイバオドォンリエシイムウ

　武夷山市区(旧崇安県)と武夷山星村の中間に位置する赤石。近代以降、中国商人が集まり、茶やアヘンの売買が行なわれた。赤石の渡し場には、1942年、国民党に連行された共産党捕虜が暴動を起こしたことに由来する赤石暴動烈士墓が立つ。

★★☆
武夷山度假区中心／武夷山度假区中心 ウウイイシャンドゥジアチュウチョンシイン
★☆☆
崇陽溪／崇阳溪 チョンヤァンシイ
武夷山市区／武夷山市区 ウウイイシャンシイチュウ

九曲渓鑑賞案内

武夷山の象徴とも言えるのが
九度方向を変えながら流れていく崇渓
この渓流を九曲渓と呼ぶ

九曲渓／九曲溪★★★
jiǔ qǔ xī
きゅうきょくけい／ジィウチュウシイ

　　三保山に源を発し、武夷山中を西から東へとつづら折り
に流れていく九曲渓(崇渓)。全長9.5kmの九曲渓には、小さな
湾曲が18、大きな湾曲が9つあり、やがて閩江支流の崇陽渓
へとそそぐ。下流から上流に向かって第一曲、第二曲と続
き、その両岸には玉女峰、大王峰、天游峰などの峰が姿を見
せ、碧水(青い水)との対比が美しい。むき出しの赤い山肌は、
白亜紀(1億4000万年前〜6500万年前)の地層と言われ、石英岩、火
山礫岩、凝灰岩などが奇観をつくる(この山肌を形容して、武夷山
は丹山ともいう)。朱子学を大成した朱熹(1130〜1200年)は55歳
のとき、この九曲の流れを「武夷山上有仙霊／山下寒流曲曲
清」(『武夷櫂歌』)と詠んでいる。

星村／星村★☆☆
xīng cūn
せいそん／シィンチュン

　　武夷山中にあり、現在は九曲くだりの起点となっている
星村。星村の船着き場から、竹で組まれた長さ9m、幅1mの
いかだを二艘つなぎ、九曲渓を進む。宋代から茶の産地とし
て知られた武夷山にあって、ここ星村は武夷茶の集散地と

武夷山と九曲渓

N

武夷山北駅
武夷山市区へ

赤石暴動
烈士墓

水簾洞
景区

大紅袍
景区

武夷山

三仰峰▲

大王峰路

九曲渓　　　▲
　　　　　●桃源洞

第七曲　第六曲▲
第八曲　　　　　　　第三曲
　　　天游峰景区　　　　　大王峰
第九曲　　第四曲　　　　　▲　　武夷山
　　第五曲　　　　　　　　　　　度假区中心
　　　　玉女峰　　第一曲
　　　　　　第二曲　　　武夷宮
　　　　　　　　　　　　景区

▲

星村

一線天
景区　　　　　　　崇陽渓

廈門高速

城村漢城遺跡
武夷山東駅へ

0km　　　　　　　　　　　　　　　　5km

なっていた(茶は、星村から北に15kmにあった行政中心地の崇安県方面へ運ばれていった)。

武夷茶を港へ

　明清時代、星村には永豊福、福茂新、同泰栄、華記などの茶荘が軒を連ね、武夷茶を福建省山奥部から中国各地に運んでいた。武夷山から福州へ通ずる閩江は、大型船舶の航行が難しく、星村で梱包された武夷茶は、いかだで崇安まで運ばれ、西の江西省から広東省の港町広州へと輸送されていた。1942年、アヘン戦争以後の南京条約で、福州が開港されてしばらくたった1860年〜70年代前半、直接、閩江をくだって福州へ運ばれるルートが開発され、武夷茶は福州から西欧へ輸出されていった(直線距離に近いかたちで港へ進む、このルートは劇的に運送費をさげた)。こうしたことを受けて、それまで多かった山西商人に替わって福州や広州の商人が、毎年茶の

★★★
九曲渓／九曲溪 ジィウチュウシイ
玉女峰／玉女峰 ユユニュウフェン
天游峰／天游峰 ティエンヨウフェン
一線天／一线天 イイシィエンティエン
大紅袍／大红袍 ダアホォンバオ

★★☆
武夷山度区中心／武夷山度假区中心 ウウイイシャンドゥジィアチュウチョンシィン
第五曲／第五曲 ディウチュウ
第四曲／第四曲 ディスウチュウ
第三曲／第三曲 ディサァンチュウ
第二曲／第二曲 ディアアチュウ
武夷宮／武夷宫 ウウイイゴォン
大王峰／大王峰 ダアワァンフェン
水簾洞／水帘洞 シュイリィエンドォン

★☆☆
崇陽渓／崇阳溪 チョンヤァンシイ
赤石暴動烈士墓／赤石暴动烈士墓 チイシイバオドォンリエシイムウ
星村／星 村 シィンチュン
第六曲／第六曲 ディリィウチュウ
桃源洞／桃源洞 タオユウエンドォン
第一曲／第一曲 ディイイチュウ

9度その流れを変える九曲渓

家族連れで観光に訪れる人たちも多い

武夷山の象徴とも言える玉女峰が見える

季節(4〜9月)に星村を訪れ、茶の製造工場の管理や売買を行なった。

第六曲／第六曲 ★☆☆
di liù qǔ
だいろっきょく／ディリィウチュウ

六曲付近には、九曲渓最大の高さ200m、幅600mの岩の晒布岩が立つ。晒布岩の岩肌には、流れ落ちた雨や水の筋が無数に刻まれている。

桃源洞／桃源洞 ★☆☆
táo yuán dòng
とうげんどう／タオユゥエンドォン

九曲渓の第六曲北方に位置する桃源洞。訪れる人はそれほど多くなく、竹と桃が群生して桃源郷にもたとえられる。また桃源洞の北に位置する三仰峰(大仰)は標高718mで、「武夷最高処(武夷山景区で一番高い場所)」となっている。

第五曲／第五曲 ★★☆
dì wǔ qǔ
だいごきょく／ディウウチュウ

第五曲には「笋(たけのこ)」のかたちをし、縦に裂けて3つの峰に見える接笋峰(せつじゅんみね)がそびえる。また接笋峰とともに隠屏峰(いんぺいみね)も立ち、あたりは九曲渓のなかでももっとも奇観とされる。第五曲の景色を気に入った朱熹(1130〜1200年)は、近くに武夷精舎を建てて、この地で暮らした。

第四曲／第四曲 ★★☆
dì sì qǔ
だいよんきょく／ディスウチュウ

九曲渓の流れの東に大蔵峰、西に題詩巌が立つ第四曲。第

四曲の近くには、元の第2代成宗時代の1302年に開園された皇帝専用の御茶園があった。

第三曲／第三曲★★☆
di sān qū
だいさんきょく／ディサァンチュウ

　第四曲から第三曲にかけてそびえる大蔵峰、小蔵峰の50mあまりの断崖に古代越人の棺桶が残っている。断崖の裂け目や洞窟に死者の棺をかけるという習俗は、漢族が入植する以前の古代越人の死生観（懸棺葬や船棺葬）だという。紀元前2000年〜前1000年にかけてのもの。

閩越の世界

　古代中国では、華南からベトナム北部、貴州省、雲南省にいたる広大な地域に越族という中原の漢族とは異なる人びとが暮らしていた。彼らは浙江の「於越」、福建の「閩越」、広東の「南越」、北ベトナムの「駱越」というように分布し、総称して「百越」と呼ばれた。越族は海や河川に親しんで米と魚を常食とし（なまものや漬けものも好んだ）、入れ墨を身体にほどこした。また水害を避けるために高床式住居に暮らしたことも特徴で、麦食、土間式で暮らす北方の漢族とは違った習俗をもっていた。漢族が南方に勢力を拡大するなかで、南中国も漢族化していったが、唐宋時代に入っても（最後まで）、漢族化の進まなかったのが福建の地であった。

第二曲／第二曲★★☆
di èr qū
だいにきょく／ディアアチュウ

　朱子学を大成した朱熹（1130〜1200年）は「二曲亭亭玉女峰／挿花臨水為誰容」（二曲亭亭たる玉女の峰／花を挿し水に臨むは誰が為にか容る）と詠んでいる。九曲渓第二曲では、武夷山の象徴と

も言える海抜313mの玉女峰が屹立する姿が見える。

玉女峰／玉女峰★★★
yù nǚ fēng
ぎょくじょほう／ユウニュウフェン

　次のような言い伝えが残っている玉女峰。ある少女が仙人の植えた木の実を摘みとって食べると、「剣の舞」を踊るようになり、その風によってあたりの山々がけずられていった。そして遠くから見ると、少女が立っているような峰を仙女に見立て、玉女峰と呼んだという。

第一曲／第一曲★☆☆
dì yī qǔ
だいいっきょく／ディイイチュウ

　上流からくだり、まもなく武夷宮にいたろうとする九曲渓最後の第一曲。武夷山に訪れた人びとが記念に残す刻石がいたるところにあり、なかでも「水光岩(晴川石)」が知られる。また武夷山36峰のなかでも、名峰の大王峰(標高546m)が視界に入る。

一曲碼頭、最上流が九曲で下流が一曲となる

天游峰鑑賞案内

圧巻の存在感を見せる天游峰
皇帝のための御茶園
朱子学を大成した朱熹の愛した景観がここに

天游峰／天游峰★★★
tiān yóu fēng
てんゆうほう／ティエンヨウフェン

　九曲渓第六曲にそびえ、「武夷第一勝」とたたえられる天游峰。標高408.8mの山そのものが一枚岩でできており、あたかも「天に游(遊)ぶ」ような神仙世界に身をおくことができる。天游峰の頂上に向かって、840段の石段が続き、頂上には道教寺院の天游観が立つ。また一覧亭からは九曲渓の流れをほぼ把握でき、その眺めの良さから天游峰頂部に国民党(1919年結成)が別荘をおいていたという。

武夷精舎／武夷精舎★★☆
wǔ yí jīng shě
ぶいしょうじゃ／ウウイイジンシャア

　前方に九曲渓が流れ、背後に隠屏峰のそびえる風光明媚の地に立つ武夷精舎(紫陽書院)。ここは宋代の官吏で儒学者の朱熹(1130～1200年)ゆかりの書院で、この付近にあった武夷精舎が再現された。主管武夷山沖佑観(道観の管理者)をつとめた朱熹は、九曲渓をくだった40歳のとき、第五曲の景観を気に入って、いつかここに書斎を築きたいと思っていた。1183年、54歳になった朱熹はついにこの武夷精舎を建て、書を読み、弟子たちに講義をした(その弟子は800～900人と言

天游峰
景区

第七曲

天游峰
天游観
天游峰

第六曲

九曲渓

茶窟

第五曲

御茶園
遺址

武夷
精舎

接笋峰

隠屏峰

九曲渓

氷隆洞
景区

武夷山

三仰峰

大紅袍
景区

天王
峰路

九曲渓

桃源洞

第七曲　第六曲

第八曲

第三曲

天游峰景区

大王峰

武夷山
度假区中心

第九曲

第四曲

第五曲

玉女峰

第一曲

武夷宮
景区

虎嘯岩

第二曲

星村

一線天景区

0km

5km

われ、朱熹の言葉『朱子語類』140巻を弟子が伝えている）。朱熹と同時代に生きた文人の陸游は、武夷精舎完成にあたって「身閑剰覚渓山好／心静尤知日月長／天下蒼生未蘇息／憂公遂興世相忘」という詩を送っている。

朱熹とは

　朱熹の一族は江西を本籍とし、父の代に福建建安（現在の建甌）に移住してきた。1130年に福建省尤渓で生まれ育ったのち、庵を結んだ「武夷山」、居をさだめた「建陽」など、朱熹は生涯の大部分を福建省北部（閩江流域）で過ごし、朱子学を大成した。この朱熹は19歳の1148年に科挙に合格していて、官吏として行なった政策の代表的なものに、社倉法があげられる。社倉法は、秋に集めた官米を農民に端境期に貸しあたえ、それを秋に返還させる方法をとって、飢饉に対応し、困窮した農民を救うものだった（端境期の弱みにつけこむ高利貸しをおさえた。社倉法は江戸時代の日本でも行なわれている）。官吏としても成果をあげているものの、朱熹が望んだのは、道観の管理を名目として、実務がほとんどなく給料が支払われる「奉祠職」で、庵を結んで学問にはげむことであった。武夷山や建陽での日々から、朱熹は仏教や道教におされていた儒教朱子学を大成し、その教えは江戸時代の日本にも影響をあたえた。

★★★
天游峰／天游峰 ティエンヨウフェン
九曲渓／九曲渓 ジィウチュウシイ
★★☆
武夷精舎／武夷精舎 ウウイイジィンシャア
第五曲／第五曲 ディウウチュウ
★☆☆
第六曲／第六曲 ディリィウチュウ
茶竈／茶灶 チャアザァオ
御茶園遺址／御茶園遺址 ユウチァアユゥエンイイチイ

この地で朱子学大成への道筋をつくった朱熹

階段を進んでいく人たち

巨大な岩の天游峰

古くは南方の僻地とされたこの地は宋代以後多くの文人でにぎわうようになった

茶竈／茶灶 ★☆☆
chá zào
ちゃそう／チャアザァオ

武夷精舎の近く、第五曲に残る大きな岩の茶竈(ちゃそう)。武夷精舎に暮らす朱熹は、かごをもって武夷山の茶園でお茶の葉をつみ、この茶竈で茶をつくったと伝えられる。

御茶園遺址／御茶园遗址 ★☆☆
yù chá yuán yí zhǐ
おちゃえんいし／ユウチァアユゥエンイイチイ

御茶園遺址は、元の第2代成宗時代の1302年に開園された皇帝専用の茶園跡。武夷茶は、唐代から宋代、元代と時代がくだるに連れて天下に知られるようになった。南宋から元へと遷るなかで、漢族官吏の高興は、フビライ軍のバヤン(伯顔)にくだり、そのとき武夷山のお茶を元の皇帝に献上した(高興は、福建省の統治に尽力した)。このことがきっかけで、宋代、建甌にあった皇帝用の御茶園がここ武夷山に遷されたという。そばには武夷山茶葉研究所が立つ。

一線天鑑賞案内

**見あげると岩のはざまから
一筋の光が見える
武夷山を代表する景観の一線天**

一線天／一线天★★★
yī xiàn tiān
いっせんてん／イイシィエンティエン

　武夷山風景区で、もっとも南に位置する一線天。3つの岩が重なり、両側からせまった岩の隙間は、幅1mほど、長さ100mにわたって続く（霊岩洞、風洞、伏羲洞が連なり、伏羲洞から一線天が見える）。このように「ひと筋の線のような天」が見えることから、「一線天」と名づけられている。この一線天は、仙女が刺繍針で開いたとも、中国の伝説の皇帝伏羲が玉の斧で開いたともいう。洞窟内には水がしたたり、細い階段状の道を進んでいく。

虎嘯岩／虎啸岩★☆☆
hǔ xiào yán
こしょうがん／フウシャオヤェン

　九曲渓第二曲の南側にそびえる虎嘯岩。この岩には大きな穴が開いていて、風が吹くと虎が吠えたような音がすることから名づけられた。虎嘯岩近くの断崖には、清代建立の天成禅院が立ち、岩に彫られた観音像が見える。

一線天景区

武夷宮
天游峰へ

星村へ

霊岩洞
風洞
伏羲洞

一線天

虎嘯岩へ

入口

N

九曲渓

水簾洞
景区

大紅袍
景区

三仰峰 ▲ 武寅山

九曲渓

▲ 桃源洞

第七曲 第六曲 ▲

第八曲

第三曲

大王峰

武夷山
度假区中心

天游峰景区

第九曲

第五曲 第四曲

玉女峰

第一曲

武夷宮
景区

第二曲

虎嘯岩

大王峰路

星村

0km

一線天景区

5km

★★★
一線天／一线天 イイシィエンティエン

一線天景区、とても細い道と階段を進んでいく

天井に幅1mほどの一筋の光が見える

武夷君をまつる道教寺院の武夷宮

宋代の街並みを再現した倣宋古街

武夷宮鑑賞案内

武夷山風景区への足がかりにもなる武夷宮
傲宋古街では宋代の街並みが見られ
近くに大王峰がそびえる

武夷宮／武夷宮★★☆
wǔ yí gōng
ぶいきゅう／ウウイイゴォン

　九曲渓の入口付近に立ち、遠い秦の時代、この地に舞い降りたという武夷君をまつる武夷宮（『武夷山志』によれば、「武」と「夷」のふたりであったという）。秦に続く漢の武帝（紀元前156〜前87年）が、干し魚をもちいて武夷君をまつったといい、その地に唐玄宗の時代（742〜755年）に玉宝殿が創建された。武夷山は歴代王朝の保護を受けたこともあって、宋代には道教の中心地となり、武夷宮は九大名観に数えられた。この時代の1176年、朱子学を大成した朱熹が、主管武夷山沖祐観という祭祀をつかさどる祠官に任じられている（道観の管理が名目上の任務だが、勤務実態はほとんどなく、俸給をもらうことができた）。武夷山を代表する道観といった性格はその後も続き、現在にいたる。

傲宋古街／仿宋古街★★☆
fǎng sòng gǔ jiē
ほうそうこがい／ファンソングウジィエ

　宋代の街並みを再現した全長300mほどの通りの傲宋古街。第一碼頭のすぐそばに位置し、入口の石牌坊の内側には古い街並みが続くほか、博物館や紀念館がずらりとならぶ。

武夷宮景区

大王峰

幔亭峰

武夷宮
武夷宮

倣宋古街

止止庵

第一曲 水光岩

九曲渓

天游峰へ

N

九曲渓

氷簾洞
景区

大紅袍
景区

三仰峰 ▲ 武夷山

桃源洞

九曲渓

第七曲　第六曲

第八曲
天游峰景区

第九曲　　第四曲
第五曲

第三曲

大王峰

第一曲
武夷宮
景区

玉女峰
第二曲

大王峰路

武夷山
渡假区中心

0km　　　　　　　　　　5km

N

武夷宮

大王峰／大王峰★★☆
dà wáng fēng
だいおうほう／ダアワンフェン

九曲渓のちょうど入口付近、第一曲のそばにそびえる大王峰。武夷山36峰のうち、最高の標高546mで、「天柱峰」「仙蟄王」とも呼ばれる。近くには名勝旧跡が点在し、この大王峰の南側には、武夷君が「テント(幔)」をはって人びとをもてなしたという幔亭峰も位置する。

止止庵／止止庵★☆☆
zhǐ zhǐ ān
ししあん／チイチイアン

九曲渓第一曲付近に残る止止庵。道教の聖地という顔ももつ武夷山にあって、先秦時代に皇太姥が修道を行なった場所だと伝えられる。現在見られる石づくりの建築は、国民党時代の1941年に使われていたもの(図書館)を前身とする。

★★★
九曲渓／九曲渓 ジィウチュウシイ
★★☆
武夷宮／武夷宮 ウウイゴォン
倣宋古街／仿宋古街 ファンソングウジィエ
大王峰／大王峰 ダアワンフェン
★☆☆
止止庵／止止庵 チイチイアン
第一曲／第一曲 ディイイチュウ

世界が求めた中国茶

飲む者の心を落ち着かせるお茶
味はもちろん工夫茶や茶器など
飲みかたにまでこだわりがある

中国茶のいろいろ

　現在、世界中で飲まれている緑茶、紅茶、烏龍茶は、すべて中国から各地に広がっていった。茶樹から採れた茶葉を「発酵させない緑茶」、「半発酵させる烏龍茶」、「完全に発酵させる紅茶」など製法の違いで、異なる香りや風味を出す。唐代の陸羽(733〜804年)は『茶経』のなかで「茶は南方の嘉木なり」と記し、そのころから中国全土で茶が飲まれるようになった。福建省の茶が注目されるようになるのは、続く宋代からで、建州そして武夷山で皇帝に献上する茶が栽培された。明清時代になると、「茶そのものを飲む(食べる)」方法から、「茶のエキスを飲む」現在の飲みかたへと変わり、紅茶や烏龍茶といった新たなお茶も福建省で発明された。栽培される品種の数、品質ともに福建省は雲南省とならんで茶どころとなっている。

烏龍茶にまつわる伝説

　武夷山のある茶園で、緑茶をつくっている最中に、黒い蛇が現れたために、驚いた茶農家はその場所から逃げた。しばらくすると茶の葉が半発酵の状態になっていて、それを飲んでみると香気がよく、味も優れていた。そのため黒を意味

する「烏」と、蛇を意味する「龍」から烏龍茶と名づけられたという。また茶を育てるには充分な湿気が必要で、茶畑の空をおおうような「黒い雲」のかたちが龍のようにも見えることから、「龍の恩恵」のもと産するお茶という意味をこめて、烏龍茶と名づけられたともいう。烏龍茶の製法は明(1368〜1644年)代に考え出されたというが、福建省では1855年ごろから製茶が本格化した。烏龍茶独特の酵素が油を分解するため、中華料理にあい、おもに福建省や広東省、台湾などで愛飲される。

ボヘア・ティー・チャ・チャイ

　大航海時代(15〜17世紀)で中国を訪れたヨーロッパ人は、ここで茶という飲みものに出合い、東インド会社を通じて大量に自国へ輸入した。中国からイギリスに輸入された紅茶が当初、「ボヘア」と呼ばれたのは銘茶の産地「武夷山」の音が転化したものだと言われる(武夷山が茶の象徴に見られていた)。西欧諸国は競って中国茶を求めるようになるが、オランダ東インド会社を通じて厦門から海路で輸入されたものは福建語の「ティー（茶）」と呼ばれ、一方で広東省に隣接するマカオ経由で運ばれたルートは広東語の「チャ（茶）」と呼ばれて現在にいたる(ヨーロッパや海のシルクロードを経由した南インドが「ティー」、チベット、北インド、ポルトガルなどが「チャ」)。またロシア語で茶を「チャイ」と呼ぶのは、中国語の「チャイエ(茶葉)」がモンゴル経由で伝わったからだという。また中国近代化の口火となったアヘン戦争は、拡大する茶の輸入の対価にイギリスがあてた麻薬アヘンを、中国側が厳しくとり締まったことに端を発する。

Da Hong Pao

大紅袍鑑賞案内

**武夷山の岩盤に栽培された岩茶
なかでも大紅袍は1年でわずかしか
収穫されない幻の茶葉**

大紅袍／大红袍★★★
dà hóng páo
だいこうほう／ダアホォンパオ

　武夷山の九龍窠（ジューロンクー）と呼ばれる地点の岩壁に
生えている茶樹の一群の大紅袍。天然の雨や岩の養分で
育った400種類の岩茶のなかでも、「茶中の王」と言われる最
高峰の茶として名高い。この茶葉を使ってたてたお茶は「神
茶」と呼ばれ、その噂を聞いた皇帝は病をわずらう皇太后に
飲ませてみると、病が回復した。そこで皇帝は官吏をつかわ
して「赤い長衣の袍（古代の礼装）」を茶樹にかけ、「大紅袍」と
名づけた。大紅袍の茶葉は、1年にわずか数百グラムしかと
ることはできないため、皇帝や高級官吏への献上品となり、
20グラムで240万円もの根がついたこともあるという。こ
の「大紅袍」はじめ「鉄羅漢」「水金亀」「白鶏冠」が武夷四大
岩茶で、一般に飲める大紅袍は、大紅袍の原木から接ぎ木、
挿し木した2代目、3代目の茶樹からとられている。

岩茶とは

　大紅袍は烏龍茶の一種で、普通の茶と違って土ではなく、
岩に根をはって栽培されることから、「岩茶」と呼ばれる。武
夷山で育まれた岩の養分（カテキンやテアニン、ミネラルなど）で成

大紅袍景区

永楽
禅寺

水簾洞
景区へ

大紅袍

大紅袍
景区

入口

N

武夷宮へ

九曲渓

水簾洞
景区

大紅袍
景区

N

三仰峰 ▲ 武夷山

大王峰路

九曲渓

桃源洞

第七曲　第六曲

第八曲

天游峰景区

第五曲　第四曲

第三曲

武夷山
度假区中心

大王峰

第一曲

玉女峰

第二曲

武夷宮
景区

星村

0km　　　　　　　　5km

長し、岩ごとに茶の味や香りが異なるという。武夷岩茶は南北朝(5〜6世紀)時代には発見されていたとされ、以後、時代をくだるにつれ、皇帝や官吏への献上品となってきた。味の深みや滋養効果から、中国でも最高峰のお茶として知られる。

永楽禅寺／永乐禅寺★☆☆
yŏng lè chán sì
えいらくぜんじ／ヨンラアチャンスウ

唐代の879年に、扣冰古仏が庵を結んだところを前身とする永楽禅寺。明代の1528年に重健され、天心庵となり、清代に永楽禅寺と名前を変え、かつては100人を超す僧侶がいた。伽藍の背後に天心岩が位置することから、天心永楽禅寺ともいう。

★★★
大紅袍／大红袍 ダアホォンパオ

★☆☆
永楽禅寺／永乐禅寺 ヨンラアチャンスウ

茶どころ福建のなかでも武夷茶は名高い

カゴに乗っていくこともできる

お茶で似た卵「茶葉蛋」が売られていた

岩の養分で成長した最高の銘茶、大紅袍

Shui Lian Dong
水簾洞鑑賞案内

**武夷山風景区の北方に位置する水簾洞
雨季に滝のように水が落ちる景観
またいくつもの景勝地が点在する**

水簾洞／水帘洞★★☆
shuǐ lián dòng
すいれんどう／シュイリィエンドン

　高さ100m、幅100mの巨大な絶壁状の岩姿を見せる水簾洞。この水簾洞のうえにはふたつの湖があり、雨季には100mもの高さの上部から、滝となって水が落ちてくる。その落水が風にふかれ、簾(すだれ)のように見えることから水簾洞(水の簾のような洞窟)と名づけられた。

鷹嘴岩／鹰嘴岩★☆☆
yīng zuǐ yàn
ようしがん／インツゥイヤェン

　鷹のような姿でたたずむ鷹嘴岩。「鷹の嘴(くちばし)の岩」を意味し、武夷山を代表する奇岩のひとつとなっている。

流香澗／流香涧★☆☆
liú xiāng jiàn
りゅうこうかん／リィウシィアンジィエン

　天心岩の北側に位置する流香澗。両側から岩がせまる、細い谷間に渓流が流れる。

★★★
水簾洞／水帘洞 シュイリィエンドォン
大紅袍／大红袍 ダアホォンパオ

★☆☆
鷹嘴岩／鹰嘴岩 インツゥイヤェン
流香洞／流香洞 リィウシィアンジィエン
永楽禅寺／永乐禅寺 ヨンラアチャンスウ

武夷郊外城市案内

昔ながらの生活が見られる下梅村
雄大な自然が残る武夷山国家自然保護区
福建省北部の山間地帯へ

下梅村／下梅村★☆☆
xià méi cūn
かばいそん／シィアメイチュン

　武夷山から東に8km、渓流のほとりに古民居群が連なり、明清時代の集落の姿を伝える下梅村。宋代の998年ごろから集落が形成され、清代、武夷茶の交易に従事する人たちでにぎわったという。「鄒氏祠堂」「鄒氏大夫第」「参軍第」「閨秀楼」「西水別業」といった建築が残り、福建省歴史文化村にも指定されている。

武夷山国家自然保護区／武夷山国家自然保护区★☆☆
wǔ yí shān guó jiā zì rán bǎo hù qū
ぶいさんこっかしぜんほごく／ウウイイシャングゥオジィアズウランバオフウチュウ

　九曲渓で知られる武夷山景区中心部の西側に、広大な武夷山国家自然保護区が位置する。ブナ科などの照葉樹林、標高2158mの黄崗山をはじめ、豊かな自然が広がる面積566平方キロの一帯は、武夷山国家自然保護区に指定されている。アルマジロに似た「穿山甲」、角のはえた「蛙角怪」、噛まれると5歩ももたないという毒蛇「五歩蛇」はじめ、多様な哺乳類、両生類爬虫類、鳥類が生息する。こうした貴重な生態系は、「昆虫の世界」「鳥の天国」「蛇の天国」「生物標本の産地」と呼ばれている。

武夷郊外

武夷山国家
自然保護区

武夷山
北駅

武夷山
市区

武夷山
九曲渓

武夷山度
假区中心

下梅村

黄坑

城村
漢城遺跡

浦建高速

武夷山
東駅

建陽

京台高速

建甌

0km

50km

黄坑／黄坑 ★☆☆
huáng kēng
こうこう／フゥアンカァン

　武夷山国家自然保護区の、抱負な雨量や亜熱帯の気候が
つくりだした雄大な自然(大林谷)のなかに位置する黄坑。建
陽の竹林精舎でなくなってから、10ヵ月後にこの地で埋葬
された朱熹(1130～1200年)の墓が位置する(風水を踏まえて、生前
から黄坑を墓地とすることが決まっていた)。朱熹は朱子学を大成し
たものの、晩年、南宋朝廷での勢力争いに敗れたこともあっ
て、墓の規模はさほど大きくない。このあたりに生息する蛇
を集めた「蛇園」も位置し、黄坑では蛇酒、龍鳳湯という蛇の
スープも飲まれる。

城村漢城遺跡／城村汉城遗址 ★☆☆
chéng cūn hàn chéng yí zhǐ
じょうそんかんじょういせき／チュゥアンチュンハァンチャンイイチイ

　武夷山から南東に13km、村を見下ろす丘の地形を利用し
て立つ城村漢城遺跡(興田鎮城村)。福州や建州を拠点とした
古代閩越国の宮殿跡で、武夷山脈に築いた6つの城塞のう
ちのひとつとされる。東西550m、南北860mからなる周囲
2896mの城壁をめぐらせ、城内中央の宮殿跡は中軸線を中
心とした左右対称のプランをもつ(中原の影響を受けている)。閩

越王城博物館では、城村漢城遺跡から発掘された土器や鉄器が展示されていて、高い鉄の精錬技術も見てとれる。武夷山とともに世界遺産を構成する。

建甌／建瓯 ★☆☆

jiàn ōu
けんおう／ジィエンオウ

　閩江の支流、建渓と松渓が合流するところに位置する建甌は、古くは建州、建安の名で知られていた。呉の260年に建安郡、唐代に建州がおかれて漢族の入植が進むと、「福州」とこの「建州」の頭文字をとって「福建」という地域名が定着した（江西省、北の浙江省、そして福建省を結ぶ交通の要衝として開けてきた）。宋代に入ると、建甌近くで生まれた朱熹をはじめ多くの文人を輩出し、出版文化が栄えるようになった。また建甌の東15kmにある東峰鎮の鳳凰山麓付近には、皇帝に献上するための高級茶が栽培された北苑があり、北苑摩崖茶事石刻が残る。

北苑にあった御茶園

　唐に続く五代十国の南唐（937〜975年）が宮廷用の茶を栽培するために開発したことにはじまる北苑。北宋官吏の蔡襄（1012〜67年）が福建路転運使となり、この茶園を管理して皇帝に献上するための茶樹が栽培された。1051年に北宋仁宗に献上した『茶録』のなかで蔡襄は「茶には真香がある。それなのに、朝廷に献上する茶には龍脳を膏にちょっと和ぜて、その香りを助けようとしている。建安の民間では、茶を試すのに香料を入れるものなどいない。茶の真香を奪うことを恐れるからである」と記し、この茶は仁宗に寵愛されるようになった。元代の1302年、皇帝用茶園は北苑から武夷山に遷った。

福建省山間部でとれた山の幸がならぶ

武夷山郊外へはタクシーを使うのも手

南方の嘉木「茶樹」に適した気候の福建省

朱子学を大成した朱熹は生涯のほとんどを福建省北部で暮らした

建窯と天目茶碗

　唐代から宋代にかけて、飲茶の習慣が広がると、それととも に茶器の需要も増していった。宋代に入ると江南の各地 で黒釉の茶器がつくられるようになり、建甌周辺の建窯は 最高品質の茶器を生み出し続けた。建窯では11か所の窯跡 が確認されており、山の斜面に沿って「蛇窯」と呼ばれる登 り窯もうけられた。これらの窯では、鉄邯と呼ばれる鉄分 の多い土を焼成し、表面に塗られた黒釉の表面に虹色の幽 玄な光を浮かばせる。この茶器は宋代高級とされた白色の 茶を際立たせ、「天目茶碗」として最高級茶器の名を得てい た。建窯で焼かれた「天目茶碗」は、浙江省天目山付近に留学 していた日本の禅僧によって日本にもち帰られ、国宝とし て現在まで伝えられている。

建陽／建阳★☆☆
jiàn yáng
けんよう／ジィエンヤァン

　武夷山と建甌のちょうどあいだに、周囲を山に囲まれた 建陽が位置する。宋代、建甌とならんで文化の中心となり、 南宋時代に嘉禾と改称されたが、その後は建陽の名前で 通っている。建陽は朱子学を大成した朱熹(1130～1200年)が 晩年を過ごした場所でもあり、建陽各地に朱熹ゆかりの場 所が残る(「考亭」「竹林精舎」といった書院を構え、弟子に講義をしたり、 書を読んだ)。宋代、建陽県麻沙は「図書の府」と呼ばれるほど、 出版文化が栄え、建陽の書物が全国に流通した(粗悪本の代表 でもあった)。朱熹の死後も朱子学の伝統が続き、建陽は多く の儒者を輩出している。

朱熹が暮らした閩北

　福建山間部に生まれた朱熹(1130～1200年)は、生涯を通じ

て閩北の自然のなかに身をおいて学問に励んだ。なかでも建陽南西の三桂里は、朱熹が父に連れられて滞在し、その風光明媚から庵を構えていた場所。教えをこう門下が増えるなか、65歳の朱熹は1194年、この地に「竹林精舎」を建てた（竹林という名前は、竹林が生えていたことにちなむ）。南宋理宗時代の1244年、考亭書院となるなど、この地では朱熹の死後も朱子学の伝統が続き、多くの儒者を輩出した。1966年、ダム建設のために沈んだが、1531年製の高さ10mの石碑坊が残る。「竹林精舎」のほかには、武夷山「武夷精舎」、母の墓地近くにある崇泰里「寒泉精舎」、知人蔡季通の庵に近い盧峯山「晦庵」などが知られる。

雨が多く降り、むしむしした気候をもつ

木材をふんだんに使ったこの地方の建築

閩北と白眉の宋文化

華北の戦乱から逃れて南遷する人たち
福建省北部はその人たちを迎える玄関口だった
宋代以後文化が華やいだ世界

朱子学発祥の地

　礼節を重んじる孔子の「儒教」は漢（紀元前202〜220年）代に国教化され、以来、中国の歴史のなかで特別の性格をもつようになった。一方、南北朝時代から隋唐（618〜907年）代にかけて、外来の「仏教」と、中国古来の民間信仰の流れをくむ「道教」が勢いを増していった。こうしたなか、宋（960〜1279年）代になると、旧来の貴族層に代わって科挙に合格した文人や儒教的秩序の頂点に立つ官吏が支配階級となった。儒教では、これら文人の心の問いにこたえるべく、さまざまな思索がされ、朱熹は道教や仏教をふまえ、「理」と「気」の展開として世界を把握しようとした（それを図案化したのが太極）。『大学』『中庸』『論語』『孟子』を中心としたこの新しい儒教の朱子学は、朱熹の晩年、宋の宮廷で偽学の禁のそしりを受けたものの、続く元、明、清の王朝によって保護され、国家宗教の地位をしめた。また朱子学は東アジアへ伝播し、李氏朝鮮では朱子学をもとに国が運営されたほか（韓国の国旗は太極旗）、日本の江戸幕府の正式な学問とされ、武士は朱子学を学んだ。

出版文化の中心地

　華北が異民族の手に奪われ、南宋の都が杭州におかれたことで、福建にも南遷した文人が多く暮らすようになった。建甌（宋代の建安）は臨安、成都、開封とならぶ出版文化の中心地となり、建陽と建安には数十の書房がならび、その数は全国一であったという。福建の出版・印刷文化を支えたのが豊富な森林で、雨量の多い亜熱帯性の気候では樹木の成長も早かった（ナツメ、ナシ、あずさといった樹木が木版印刷の版木の材料に利用された）。「建州の書籍は天下四方、遠きとして至らざるなし」と言われ、儒教や仏教の経典、歴史書、占卜書、医学書などが出版された。なかでも注目されるのが、科挙を受ける受験生のための参考書で、模範解答が印刷されて出まわることもあったという。福建では科挙の合格者数が増え、文化の中心地というべき様相を呈していた。

閩北で焼かれた天目茶碗

　足利義政や織田信長といった日本の将軍や戦国武将に愛された茶器の天目茶碗。黒の釉薬で仕上げられ、浮かびあがった虹彩が幽玄の美を見せる天目茶碗は、天・地・人がひとつになってはじめて完成されるという。この天目茶碗は南宋時代のある時期に焼かれ、それ以後、二度と焼かれることはなかった幻の茶器で、おもに福建省建窯で焼成されていた。太陽の光によって虹色の輝きを見せる「曜変天目」、曜変天目とならんで天目茶碗の最高峰をなす「油滴天目」が知られ、中国へ留学した日本の禅僧によって日本にもたらされた（中国側の受け入れ窓口が寧波にあり、そこから近い天目山の地名をとって天目茶碗と呼ばれた）。この天目茶碗は中国では失われ、現在、日本にのみ現存する。

『武夷山旅游指南』(藍章廉[編]/福建人民出版社)

『天下の名勝と伝説の山 武夷山--「九曲」をめぐる福建第一の景勝地 』(〔ユハズ〕和順/月刊しにか)

『世界遺産めぐり(18)福建省・武夷山--緑したたる茶のふるさと』(劉世昭/人民中国)

『叙景詩と詩跡:朱熹の武夷山を詠む詩を手掛かりにして』(李梁/人文社会論叢)

『朱子学と武夷山の岩茶』(高畑常信/東京学芸大学紀要)

『武夷山自然保護区の樹木相とその概観』(八田洋章・秦祥坤ほか/筑波実験植物園研究報告)

『空間構成と民族芸術からみた福建地方の伝統的商家住宅の特性に関する研究』(山之内誠・黄國賓・王曄・今村文彦/芸術工学2012)

『近代黎明期福建茶の生産と貿易構造』(陳慈玉著・小西高弘訳/福岡大学経済学論叢)

『岩茶』(左能典代/文芸春秋)

『世界大百科事典』(平凡社)

OpenStreetMap

(C)OpenStreetMap contributors

武夷山／幻の「鳥籠茶」育む閩奥へ

まちごとパブリッシングの旅行ガイド
Machigoto INDIA , Machigoto ASIA , Machigoto CHINA

マカオ-まちごとチャイナ

Juo-Mujin（電子書籍のみ）

自力旅游中国Tabisuru CHINA

福建省

0km　　　　　　　　　　　　　　　　　500km

N

福州と武夷山

N

0km   200km

武夷山

0km　　　　　　　　　　　　　　　　　　　　　　　　20km

武夷山
度假区中心

0km   1km

N

武夷山
市区

0km ⊢―――――――― 3km

N

武夷山と九曲渓

N

0km   5km

天游峰
景区

九曲溪

0km   5km

一線天景区

九曲渓

0km   5km

武夷宮景区

九曲渓

0km　　　　　　　　　　　　5km

武夷宮

大紅袍景区

N

九曲渓

N

0km   5km

水簾洞景区

九曲渓

0km   5km

【車輪はつばさ】

南インドのアイラヴァテシュワラ寺院には
建築本体に車輪がついていて
寺院に乗った神さまが
人びとの想いを運ぶと言います

An amazing stone wheel of the Airavatesvara Temple
in the town of Darasuram, near Kumbakonam in the South India

まちごとチャイナ
福建省 005

武夷山
幻の「烏龍茶」育む閩奥へ
[モノクロノートブック版]

「アジア城市(まち)案内」制作委員会
まちごとパブリッシング
http://machigotopub.com

・本書はオンデマンド印刷で作成されています。

・本書の内容に関するご意見、お問い合わせは、発行元の
　まちごとパブリッシング info@machigotopub.com までお願いします。

まちごとチャイナ
新版 福建省005武夷山
　～幻の「烏龍茶」育む閩奥へ

2020年 8月15日　発行

著　者	「アジア城市 (まち) 案内」制作委員会
発行者	赤松　耕次
発行所	まちごとパブリッシング株式会社
	〒181-0013　東京都三鷹市下連雀4-4-36
	URL http://www.machigotopub.com/
発売元	株式会社デジタルパブリッシングサービス
	〒162-0812　東京都新宿区西五軒町11-13
	清水ビル3F
印刷・製本	株式会社デジタルパブリッシングサービス
	URL http://www.d-pub.co.jp/

MP253

ISBN978-4-86143-404-4 C0326　　　　Printed in Japan